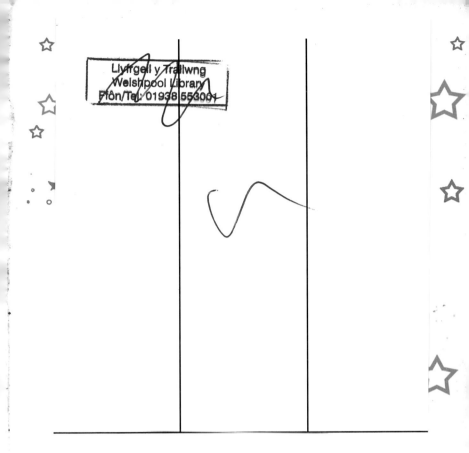

Llyfrgell y Trallwng
Welshpool Library
Ffôn/Tel: 01938 553001

Dychweler erbyn y dyddiad olaf uchod
Please return by the last date shown

LLYFRGELLOEDD POWYS LIBRARIES

www.powys.gov.uk/llyfrgell
www.powys.gov.uk/libraries

D0332674

*I Georgia,
y ferch â'r traed sy'n dawnsio.*

Cyhoeddwyd gan Rily Publications Ltd,
Tenafly House, Wernddu, Caerffili CF83 3DA

Hawlfraint yr addasiad © 2014 Rily Publications Ltd
Addasiad Cymraeg gan Luned Whelan

ISBN 978-1-84967-189-7

Cyhoeddwyd yn wreiddiol yn Saesneg o dan y teitl *Claude in the Spotlight*
gan Hodder Children's Books, argraffnod o Hachette Children's Books,
un o gwmnïau Hachette UK.

Cedwir pob hawl. Ni chaniateir atgynhyrchu unrhyw ran o'r cyhoeddiad
hwn na'i gadw mewn cyfundrefn adferadwy na'i drosglwyddo
mewn unrhyw ddull, na thrwy unrhyw gyfrwng electronig, nac fel arall,
heb ganiatâd ymlaen llaw gan y cyhoeddwyr.

Mae Alex T. Smith wedi sefydlu ei hawl i gael ei gydnabod fel awdur a darlunydd
y gwaith hwn yn unol â Deddf Hawlfraint, Dyluniadau a Phatentau 1988.

Ffrwyth dychymyg yw holl gymeriadau'r cyhoeddiad hwn,
a chyd-ddigwyddiad yn unig yw unrhyw debygrwydd i bobl o gig a gwaed.

Dylunio gan Alison Still

Argraffwyd a rhwymwyd ym Mhrydain gan Clays Ltd, St Ives plc.
Mae'r papur a'r cardfwrdd a ddefnyddir yn y cyhoeddiad hwn yn ddeunydd
ailgylchadwy naturiol a gynhyrchwyd o bren o goedwig gynaladwy. Mae'r broses
gynhyrchu'n cydymffurfio â rheoliadau amgylcheddol y DG.

RILY

www.rily.co.uk

CLEM

a Bwgan y Sioe

ALEX T. SMITH

Addasiad Luned Whelan

Y tu ôl i ddrws ffrynt uchel
ac arno glamp o gnociwr
mawr pres, mae ci bach
o'r enw Clem yn byw.

Helô!

4

Beret

Siwmper
smart iawn

Clem

Ci bach ydy Clem.
Ci bach crwn ydy Clem.
Ci bach crwn ydy Clem, ac mae
e'n gwisgo beret coch ffansi a
siwmper smart iawn.

5

Mr a Mrs Sgidiesgleiniog
yw perchnogion Clem,
a Syr Boblihosan yw
ei ffrind gorau.

Hosan yw Syr Boblihosan,
ac mae'n eithaf bobli.

Bob bore, mae Mr a Mrs Sgidiesgleiniog
yn codi llaw ar Clem i ddweud ta-ta,
a bant â nhw i'r gwaith. A dyna pryd
mae'r hwyl yn dechrau. I ble fydd
Clem a Syr Boblihosan yn mynd
heddiw, tybed?

7

Un diwrnod, toc ar ôl i Mr a Mrs Sgidiesgleiniog ruthro allan drwy'r drws, sbonciodd Clem o'i wely'n sionc, gan styrbio het nos Syr Boblihosan a dod o fewn trwch blewyn i golli paned ei ffrind dros bob man.

Fe ddylai Clem fod wedi blino'n lân,
achos roedd e wedi aros ar ddi-hun
yn hwyr IAWN y noson cynt
(tan tua hanner awr wedi wyth),
yn darllen *Llyfr Mawr y Bwganod*.

Roedd rhai o'r bwganod yn edrych yn frawychus iawn. Poenai Clem yn fawr am sut roedden nhw'n llithro drwy'r awyr a ddim yn gwisgo esgidiau …

11

Ond neithiwr oedd hynny.
Bore 'ma, roedd Clem yn effro
a'i feret am ei ben, yn chwilio
am rywbeth i'w wneud.

'Dwi'n credu yr af i am dro i'r dre,'
meddai, a dyna wnaeth e.

Penderfynodd
Syr Boblihosan fynd
hefyd. Er bod gwir
angen golchi ei wallt,
teimlai nad oedd dim
i'w ennill wrth ddiogi
drwy'r dydd a'i ben
wedi'i lapio mewn
lliain, felly bant
â'r ddau ffrind.

THEATR →

Heddiw yn unig!

NOSON
Lawen

PERFFORMWYR ENWOG DEWR
A DIFYR O BEDWAR
BAN BYD YNGHYD Â
GWOBR FAWR!

13

Yn sydyn, cerddodd grŵp o
blant heibio.

Roedden nhw'n gwisgo
dillad rhyfedd iawn yr olwg.
Rhyfedd ar y naw...

14

Dechreuodd drwyn Clem gosi.
Cododd ei aeliau a siglodd ei
ben-ôl a'i gynffon. Roedd antur
ar droed yma, YN BENDANT.

Esmwythodd Clem ei glustiau'n
gyflym a rhedeg ar ôl y plant,
a herciodd Syr Boblihosan ar ei ôl.

Fe ddilynon nhw'r plant i mewn
i ystafell fawr, olau. Ar un o'r
waliau roedd drych enfawr.
Roedd piano mewn un cornel,
ac eisteddai hen wraig wrtho,
yn canu tôn joli iawn.

Roedd Clem ar fin gofyn a allai roi
cynnig ar bwt o gân pan agorodd
drws yr ystafell ddosbarth led y pen.

Llamodd gwraig hynod ryfedd yr olwg i mewn i'r ystafell!

'Bore da, bawb!' meddai mewn llais mawr. 'Fy enw i yw Miss Henrietta Cicuchel-Naid, a fi ydy'ch athrawes. Nawr, dewch ymlaen bawb, mae'n amser daaawnsioooo!'

Roedd y cyfan yn ormod o ymdrech i Syr Boblihosan, yn enwedig â'i ben-glin gwan, felly aeth i orwedd ar ben y piano.

'Yn gyntaf,' gwaeddodd
Miss Cicuchel-Naid,
'rhaid i ni gynhesu'n cyrff!'
A dechreuodd sgipio ac ymestyn
gwahanol rannau o'i chorff.
Daeth y sgipio'n hawdd i Clem,
ac roedd wrth ei fodd yn teimlo
awel o gwmpas ei glustiau wrth
iddo garlamu ar draws yr ystafell.

Ond mater arall oedd yr ymestyn.

O diar, roedd bola Clem yn ei
rwystro rhag plygu …

Ar ôl i bawb orffen cynhesu,
dysgodd Miss Cicuchel-Naid
ddawns braf, dawel i'r dosbarth.

Roedd angen sgipio unwaith eto, siglo'r coesau a gwneud rhywfaint o 'chwifio'ch-breichiau-dros-eich-pennau-a-dychmygu-mai-blodau-tal-mewn-cae-gwyntog-ydych-chi'.

Fe wnaeth Clem ei orau, ond pan ddaeth hi'n amser chwifio breichau, aeth ei bawennau'n sownd yn ei glustiau.

'Paid â phoeni,' meddai
Miss Cicuchel-Naid. 'Dydy bale
ddim i bawb. Beth am ddawnsio tap?'
A rhoddodd bâr o esgidiau newydd,
cyffrous i Clem.

Gwisgodd Clem nhw, a meddwl eu
bod yn edrych yn hyfryd. Wrth iddo
gerdded, roedden nhw'n gwneud sŵn
TAP TAP TAP arddderchog ar y llawr.
Dangosodd nhw i Syr Boblihosan,
oedd yn eu hoffi'n fawr, ond roedd
ganddo gur yn ei ben erbyn hyn.

Roedd Miss Cicuchel-Naid
ar fin dysgu dawns newydd,
swnllyd i'r dosbarth, pan
ddigwyddodd rhywbeth …

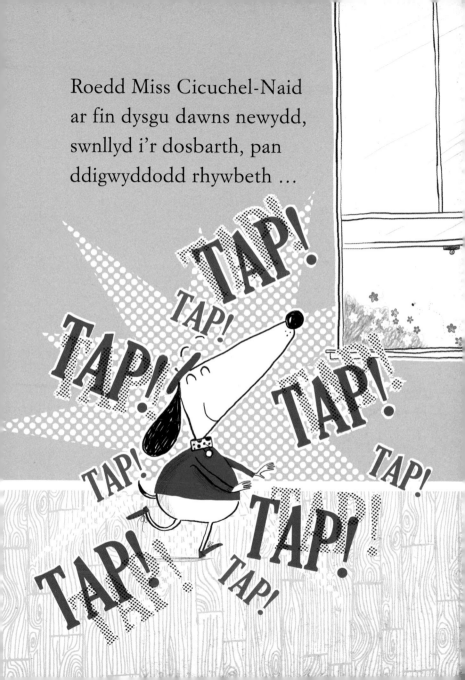

Hedfanodd pryfyn bach, a oedd wedi gweld Clem yn chwilio'i freichiau dros ei ben ac esgus bod yn flodyn tal mewn cae gwyntog . . .

... yn syth i fyny cefn siwmper Clem!

27

Methodd Clem aros yn llonydd.
Roedd yn cosi'n ofnadwy.

Sgrialodd a sgipio
ar draws yr ystafell.

Neidiodd a phlymio
i fyny fry i'r awyr.

Ysgydwodd a siglo
dros y lle i gyd nes
bron na allech ei weld.

Roedd angen
paned fawr o de
ar Syr Boblihosan
ar ôl gwylio Clem.

Cyn hir, roedd pawb yn yr ystafell wedi
ymuno â dawns siglog, wiglog Clem.
Roedd hyd yn oed yr hen
wraig yn cicio'i choesau
ac yn ysgwyd ei phen-ôl!

30

Yn y diwedd, roedd y pryfyn wedi cael digon. Dihangodd o siwmper Clem a diflannu drwy'r ffenest.

Safodd Clem yn ei unfan.

'Ffiw!' meddai'r athrawes ddawns, ei gwynt yn ei dwrn a'i hwyneb yn goch. 'Dyna ddawns newydd ardderchog! RHAID i ti berfformio gyda ni yn y theatr prynhawn 'ma! Wnei di?'

Doedd Clem ddim eisiau gofyn beth oedd theatr, felly tynnodd ei siwmper dros ei fola a nodio'n gwrtais.

32

Awr yn ddiweddarach, ar ôl i'r
plant fwyta'u cinio, ac i Clem a
Syr Boblihosan fwynhau'r picnic
brys roedd Clem wastad yn
ei gadw o dan ei feret,
cerddodd pawb yn
y dosbarth draw
i'r theatr.

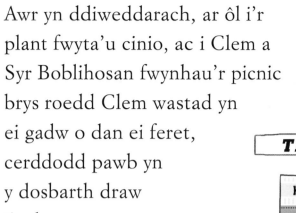

THEATR

Heddiw yn unig!

NOSON
Lawen

PERFFORMWYR ENWOG DEWR
A DIFYR O BEDWAR
BAN BYD YNGHYD Â
GWOBR FAWR!

Wrth iddyn nhw gerdded, dywedodd
un o'r merched wrth Clem am y sioe
y bydden nhw'n serennu ynddi ymhen
tipyn. Noson lawen oedd hi.

'Mae hynny'n golygu bydd llawer
o bobl yn perfformio pob math o
eitemau ar y llwyfan,' meddai'r
ferch, 'gan gynnwys perfformio
dy ddawns newydd di! A'r peth
mwyaf cyffrous am heddiw yw bydd
yr act orau'n ennill gwobr fawr –
cymaint o gacennau ag y galli di
eu bwyta o Bopty Mr Bynsblasus.
Fe sy'n beirniadu'r gystadleuaeth.'

Curodd Clem ei bawennau,
ac ochneidiodd Syr Boblihosan.

Popty Mr Bynsblasus oedd hoff siop
Clem. Ac er bod Syr Boblihosan
yn un ffyslyd am fyns, roedd e'n
cytuno mai byns Mr Bynsblasus
oedd y byns gorau a flasodd erioed.

Yn anffodus, oherwydd
yr holl gyffro, sylwodd
neb fod dyn amheus
yr olwg yn gwrando ar
eu sgwrs ...

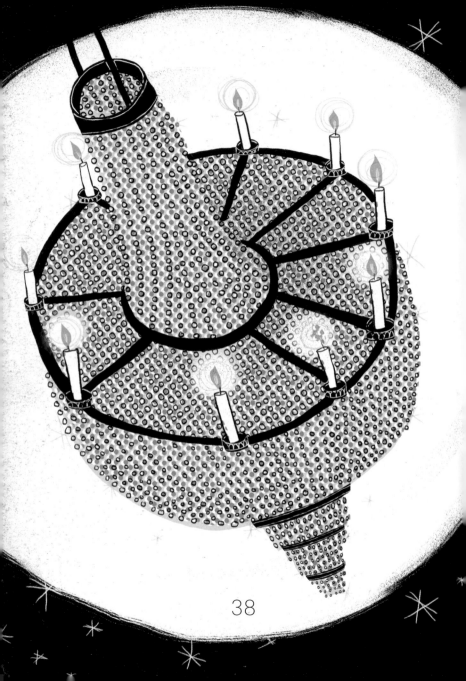

Roedd Clem a Syr Boblihosan
wrth eu bodd â'r theatr.
Holl sglein a swyn y lle oedd
yn apelio at Syr Boblihosan.

Fry uwchben seddi'r gynulleidfa,
roedd siandelïer fawr, sgleiniog.

'Faset ti ddim eisiau i
honna sythio ar dy ben!'
meddai Syr Boblihosan.
'Yn bendant ddim,'
cytunodd Clem, cyn i bawb
heidio i gefn y llwyfan.

39

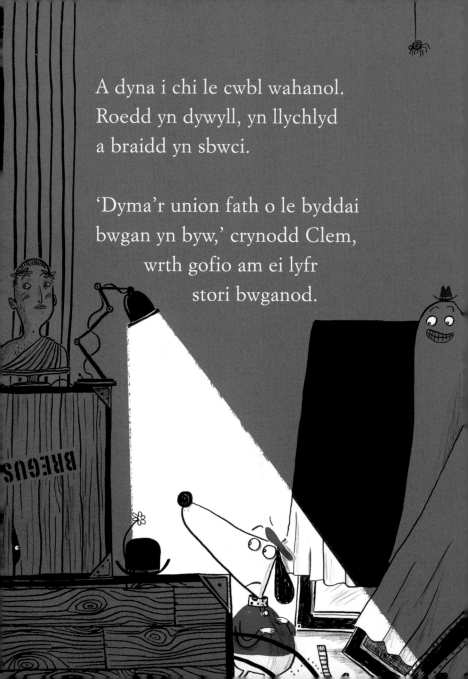

A dyna i chi le cwbl wahanol.
Roedd yn dywyll, yn llychlyd
a braidd yn sbwci.

'Dyma'r union fath o le byddai
bwgan yn byw,' crynodd Clem,
wrth gofio am ei lyfr
stori bwganod.

BLE
MAE FY
NHROWSUS?
DRAMA
DRASIEDI

Seren - Sidney Thomas
* * * * *

BILLY BONGO
yn

Asgwrn
y Gynnen

Hefina H. Harris
y
SIOE YSGUBOL
AHOI,
FORWYR!

* * * * *

Y SIOE
GERDD GAMPUS

CATHOD BACH
seren Marian Miaw

DIM MYNEDIAD I GWN

1.

YSTAFE
NEWI
Y CWM
DAWI

A brysiodd Clem a
Syr Boblihosan i'r
ystafelloedd gwisgo
golau, llachar.

41

Yn yr ystafell gyntaf, roedd cwmni
dawns menywod yn barod i berfformio.
Cafodd Syr Boblihosan ei swyno'n
llwyr gan eu dillad anhygoel.

Yn yr ystafell nesaf roedd y dewin llwyfan Rhydian Rhyfeddol.

Gwyliodd Clem a Syr Boblihosan yn syfrdan wrth iddo ysgwyd ei ffon hud a thynnu tair cwningen fach allan o'i het.

44

Rhoddodd Clem gynnig arni …

Yn yr ystafell wisgo olaf, roedd menyw anferthol wedi'i gwisgo fel Llychlynwraig.

Ei dawn arbennig hi oedd canu
– yn ddigon uchel a swnllyd i
chwalu cwpan a soser. Gwisgodd
Clem a Syr Boblihosan y gogls
diogelwch a gariai Clem o dan
ei feret bob amser, a gwylio
wrth i'r Llychlynwraig ddangos
ei thric iddyn nhw.

IAAAAAAA!!!

Roedd Clem wrth ci fodd.
Ond doedd Syr Boblihosan
ddim yn hapus. Am ffordd
i drin cwpan a soser!

49

Roedd Clem yn torri'i fol eisiau rhoi cynnig arni ond, er gwaethaf pob ymdrech, allai e ddim symud y fâs wydr.

Yn y diwedd, pwniodd Syr Boblihosan y fâs oddi ar y bwrdd yn slei bach â'i benelin ...

Roedd Clem yn cael blas ar fisgïen
cyn y sioe pan glywodd rhywun yn
gweiddi ym mhen pella'r coridor …

Roedd Rhydian
Rhyfeddol yn sefyll
yn nrws ei ystafell
newid, a'i wyneb
yn welw.

52

'Neidiodd b-b-b-bwgan arna i a cheisio dwyn fy ffon hud,' meddai'n grynedig. 'Edrychwch – mae wedi torri!'

Dangosodd y ffon iddyn nhw. Roedd yn gam ac yn llipa fel hosan drist.

'Bwgan y theatr!' meddai
Miss Cicuchel-Naid yn ddramatig.
'Mae bwgan ym mhob theatr, ond
chlywais i erioed am
un yn ymddwyn
mor ddrwg.'

Crynodd Clem. Byddai angen
iddo gadw llygad ar y bwgan yma.
Roedd yn amlwg am greu trafferth
â T fawr. Ni allai Syr Boblihosan
stopio'i fobls rhag crynu. Roedd
yr holl sgwrsio am fwganod wedi
codi ofn mawr arno.

Cyn i neb ddweud rhagor, brysiodd
dyn â chlipfwrdd yn ei ddwylo
trwy'r dorf.

'Pawb i'w lle, os gwelwch yn dda!'
meddai. 'Mae'r sioe ar fin dechrau!'

Rhuthrodd Clem a Syr Boblihosan
i ymyl y llwyfan i wylio.

Ond yn gyntaf, fe drawon
nhw eu pennau trwy'r llenni
coch, moethus i gael golwg
ar y gynulleidfa.

Eisteddai Mr Bynsblasus
o dan y siandelïer fawr.

Roedd yn eistedd wrth fwrdd arbennig
i feirniaid, yn edrych yn bwysig iawn.
Chwifiodd Clem arno, a chwifiodd
Mr Bynsblasus yn ôl.

Pan glywodd pawb fiwsig
y gerddorfa, roedd y sioe
yn barod i ddechrau.

Pan oedd y menywod hanner ffordd
drwy eu dawns, neidiodd y bwgan
o'r cygodion a'u dychryn.

60

Syrthiodd un yn bedramwnwgl i ganol
y gerddorfa, ac aeth ei phen
yn sownd mewn
tiwba.

Doedd Rhydian Rhyfeddol fawr
gwell. Doedd ei ffon gam ddim yn
gweithio o gwbl. Yn lle codi cwmwl
mawr o fwg o'i het, llwyddodd i
roi'r het ar dân. Rhuthrodd Clem
i'r llwyfan â'i feret yn llawn dŵr
er mwyn ei ddiffodd.

Doedd y gynulleidfa ddim
yn hapus. Roedd y sioe
yn llanast llwyr!

Ymhen dim,
daeth tro Clem.
Gwyliodd Syr
Boblihosan o
ymyl y llwyfan.

Camodd Clem i'w le
gyda'r dawnswyr eraill,
a phan ddechreuodd
y miwsig, ysgydwodd
a siglo yn ofidus, braidd.

Yn sydyn, clywodd Clem
sŵn esgidiau y tu ôl iddo.

Trodd yn ei unfan – a gweld y bwgan!

Sgrechiodd Miss Cicuchel-Naid.
Gwichiodd y plant a baglodd
pawb oddi ar y llwyfan.

Aeth Clem i gefn y llwyfan at
Syr Boblihosan. Cuddiodd
hwnnw dan siwmper Clem.
Crynai fel deilen, ac roedd
angen cyfnod hir o orffwys arno.

Mae rhywbeth amheus am hyn,
meddyliodd Clem, gan feddwl mor
galed nes i'w ben ddechrau brifo.

Y Llychlynwraig oedd nesaf ar y
llwyfan. Roedd hi eisoes wedi chwalu
gwydryn a cherflun crisial o bwdl
pan welodd Clem
y bwgan yn nesáu
ati ar flaenau ei
draed o gefn
y llwyfan.

Edrychodd Clem ar y bwgan – o gorun
ei ben gwyn i sodlau ei esgidiau.

ESGIDIAU!

70

Dyna'r ateb!
Siglodd Clem ei
gynffon. Doedd y bwganod yn ei lyfr
e ddim yn gwisgo esgidiau o gwbl,
heb sôn am rai mawr, trwsgwl fel
y rhain. Roedd bwganod yn *llithro*
o le i le yn ysgafn, heb esgidiau.

Felly, os oedd y bwgan hwn yn
gwisgo esgidiau, nid bwgan go iawn
mohono o gwbl.

Rhedodd Clem i flaen y llwyfan.

'Nid bwgan yw hwn!' gwaeddodd.
'Dyn drwg iawn yw e, gewch chi weld.'

Ac fe gydiodd yng nghynfas
wen y bwgan a rhoi plwc iddi.
Odani, roedd dyn amheus
iawn yr olwg. Roedd ei
wyneb wedi cochi
â chywilydd.

WWWW!
Ebychodd pawb.

'Beth yn y byd wyt ti'n
ei wneud, ddyn drwg?'
gofynnodd Clem.

Llithrodd Syr Boblihosan o'i
loches o dan siwmper Clem a
gwisgo'i sbectol er mwyn cael
golwg well ar bob dim.

'Wel, dwi'n CARU cacennau,'
meddai'r dyn drwg. 'A phan glywais i
mai'r wobr oedd cymaint o gacennau
ag y galli di eu bwyta, ro'n i wir eisiau
ennill. Ond does gen i ddim dawn
am wneud dim …'

'Ooooo,' meddai'r gynulleidfa,
yn drist.

'Wedyn, os gallen i wneud yn siŵr fod neb arall yn ennill, gallen i ddod i'r llwyfan, gwneud unrhyw beth, ac ennill y gystadleuaeth.'

'Ooooo,' meddai'r gynulleidfa, yn ddig.

'Es i i Siop Welyau Parri'r Plu,
a phrynu'r gynfas yma …'

Roedd Clem ar fin dweud y drefn
wrth y dyn drwg, pan –

CREC!

CRAC!

CRAC!

Gwichiodd Mr Bynsblasus!
Roedd y siandelïer fawr uwch ei
ben ar fin syrthio. Rhaid bod sgrech
y Llychlynwraig wedi llacio'r rhaff.
Os na fyddai Mr Bynsblasus yn
symud, byddai'r golau anferth
yn siŵr o lanio ar ei ben!

Gwyliodd pawb wrth i'r siandelïer siglo. Yna, yn sydyn, dechreuodd ddisgyn!

Aeth pawb i banig.
Pawb ond Clem.

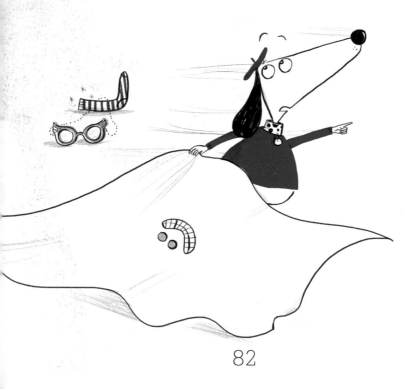

'Brysia!' galwodd Clem ar y
dyn drwg, a rhedodd y ddau
draw at Mr Bynsblasus.

Cafodd Syr Boblihosan y
bendro, a syrthio'n swp
i'r llawr mewn llewyg.

Estynnodd Clem a'r dyn drwg dynfas wen
y bwgan ar yr eiliad berffaith ...

... i ddal y siandelier!

'Campus!' gwaeddodd Mr Bynsblasus wrth straffaglu o'i sedd. 'Clem, rwyt ti wedi achub y dydd! TI sydd wedi ennill y gystadleuaeth!'

Cymeradwyodd y gynulleidfa gyfan, a thaflodd sawl un flodau i'r llwyfan. Cochodd Clem, ac ysgwyd llaw Mr Bynsblasus yn swil. Symudodd Syr Boblihosan i ymyl y llwyfan am fod blodau'n gwneud iddo disian.

Gwthiodd Miss Cicuchel-Naid drwy'r dorf.

'Clem,' meddai, â dagrau yn ei llygaid. 'Ti yw'r dawnsiwr gorau dwi wedi'i weld erioed. Ddoi di a Syr Boblihosan i deithio gyda fi, a dawnsio mewn theatrau ledled y byd?'

Ystyriodd Clem y cynnig am funud.

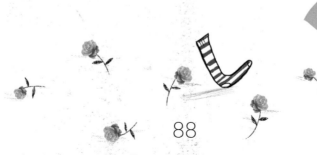

Roedd e wedi dod i fwynhau
dawnsio ac ysgwyd ei ben-ôl erbyn
hyn. Ond roedd e'n fodlon iawn ei
fyd yn nhŷ Mr a Mrs
Sgidiesgleiniog,
hefyd.

Edrychodd ar Syr Boblihosan.
Roedd e'n wyn fel y galchen, ac yn
edrych fel petai e wedi gweld cant
o fwganod. Roedd arno angen un
o'i sesiynau gorffwys hir, paned o
de a chacen hufen.

Eglurodd Clem hyn yn gwrtais
iawn wrth Miss Cicuchel-Naid.
Roedd hi'n deall yn iawn.

Ar ôl ffarwelio â phawb, aeth
Clem a Syr Boblihosan adre,
ond ddim cyn galw ym
Mhopty Mr Bynsblasus.

Pan gyrhaeddodd Mr a Mrs
Sgidiesgleiniog adre o'r gwaith
y noson honno, roedden nhw'n
syn iawn o weld llond eu cegin
o gacennau a byns.

'O ble yn y byd ddaeth yr holl gacennau yma?' gofynnodd Mrs Sgidiesgleiniog. 'Wyt ti'n meddwl bod Clem yn gwybod rhywbeth am hyn?'

Chwarddodd Mr Sgidiesgleiniog. 'Wrth gwrs nad yw e – mae e wedi bod yn cysgu drwy'r dydd!'

Ond, wrth gwrs, roedd Clem YN
gwybod yn iawn o ble roedd y
cacennau i gyd wedi dod.

Ac rydyn ni'n gwybod hefyd,
on'd ydyn ni?

Sut i adnabod bwgan:

Ydy e'n gwisgo esgidiau?

(Os ydy e, nid bwgan yw e.)

Ydy e'n llithro trwy'r awyr?

(Os ydy e, efallai *mai* bwgan yw e.)

Ai dyn drwg sy'n cuddio
o dan gynfas yw e?

(Os taw e, *fwy na thebyg* nad
bwgan yw e.)

Cofia chwilio am Clem a Syr Boblihosan.
Dwyt ti byth yn gwybod ble
weli di nhw nesa!